Houden beren echt van honing?

Midas Dekkers

Houden beren echt van honing?

Met tekeningen van

The Tjong Khing

Uitgegeven door de Stichting Collectieve Propaganda van het Nederlandse
Boek ter gelegenheid van de Kinderboekenweek 1985

Het versje op pag. 27 is afkomstig uit: A.A. Milne: *Winnie-de-Poeh*, uitgave G.B. van Goor Zonen's Uitgeversmaatschappij, Den Haag (naverteld door N. van Nichtum).

Grafische vormgeving Ton Ellemers gvn
Druk Van Boekhoven-Bosch bv, Utrecht
ISBN 90 70066 51 3

Inhoud

Meneer beer

Zouden er ook rode ziekenhuizen zijn? Met rode muren, rode lakens en rode borden? Of blauwe ziekenhuizen? Of zwarte, zo zwart dat je nauwelijks iets ziet?

Eén ding is zeker: het ziekenhuis waar Michiel in ligt is wit. Muren, lakens, borden, alles is er wit, net of het elke nacht heeft gesneeuwd. Zelfs de zusters zijn wit. Stomvervelend, vindt Michiel. Geen wonder dat iedereen hier ziek is. Zelf heeft hij longontsteking, maar sinds de koorts gezakt is, heeft hij meer last van het ziekenhuis dan van zijn ziekte.

Gelukkig heeft Michiel gezelschap in bed. Dat gezelschap is niet wit. Het is een beer: meneer Beer.

'Goedemorgen, meneer Beer,' fluistert Michiel, 'slaapt u nog?'

Ook al kennen ze elkaar al jaren, toch blijft Michiel 'u' zeggen in plaats van 'jij'. Zo hoort dat bij beren. Je praat met beren niet als met mensen; met beren praat je beers. En als je wilt weten of beren slapen, moet je dat netjes vragen, want zien kun je het niet. Beren hebben immers hun ogen altijd open.

'Ik wilde u nog eens bedanken dat u met me bent meegegaan,' zegt Michiel, nadat hij heeft besloten dat meneer Beer wakker is. 'Het moet voor u erg vervelend zijn, zo in een ziekenhuis. Beren zijn toch nooit ziek?'

Meneer Beer kijkt Michiel zwijgend aan. Wie zwijgt stemt toe. Zieke beren bestaan niet. Je ziet er wel eens een zonder oor of met een arm eraf, zodat de houtwol eruit steekt, maar dat geeft niet, daar kunnen beren tegen. Een beer is niet zomaar stuk te krijgen.

'Maar u kunt gauw naar huis, hoor,' stelt Michiel, iets minder plechtig nu, zijn beer gerust. 'Over een paar dagen mag ik eruit, heeft de dokter gezegd. Samen komen we er wel doorheen. We hebben wel voor heter vuren gestaan. Weet u nog...'

Michiel maakt zijn zin niet af. 'Oei, wegwezen, meneer Beer,' zegt hij in plaats daarvan en trekt hem onder de dekens. Daar komt de hoofdzuster.

'Dag Michiel,' zegt ze, en probeert te glimlachen, iets wat haar steeds weer moeite kost. 'Kom, we zullen je eens mooi maken voor het bezoekuur zo dadelijk.' Voor hij er erg in heeft, wordt er een natte washand in Michiels gezicht geduwd en begint de zuster te schrobben.

Wanneer Michiel het gevoel heeft dat zijn gezicht helemaal is opengehaald houdt ze op. 'Ziezo,' zegt ze, 'nu nog even het bed rechttrekken.' Met een ruk sjort ze aan de lakens. 'Hè bah, wat heb je daar? Nog steeds die vieze pop? Dat is niet hygiënisch, daar gaan ziektekiemen in zitten, wist je dat?'

'Meneer Beer is geen vieze pop,' werpt Michiel tegen. 'Hij ruikt juist lekker; heel anders dan het ziekenhuis.'

'Pff.' De hoofdzuster haalt haar neus op en vraagt: 'Ben je trouwens niet te groot om met poppen te spelen? Hoe oud ben je?'

'Tien,' antwoordt Michiel. 'En meneer Beer is een beer en geen pop.'

Voordat de hoofdzuster verder kan zeuren, klinkt er geschuifel in de gang. Het bezoekuur is begonnen.

'Dag, Michiel!' Achter een grote zak fruit komt zijn moeder binnen.

'Hoi, ma, wat een grote zak! Hé, en daar heb je pa ook. Hoi, pa!'

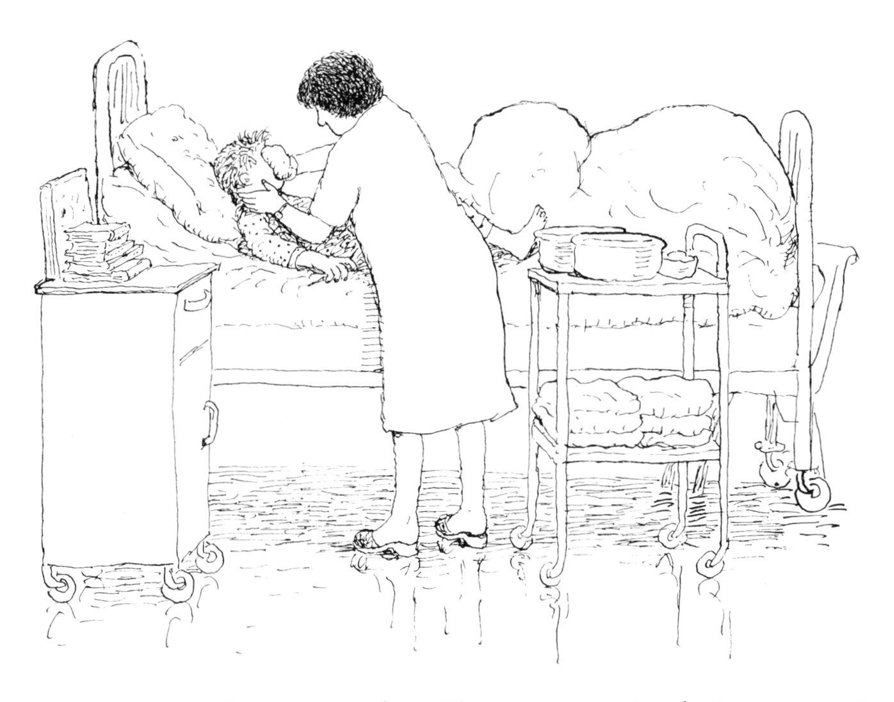

'Dag jongen. Je ziet er goed uit. Het is je aan te zien dat je er gauw uit mag.'

Pa komt niet zo vaak mee. Hij ziet er zelf niet zo goed uit. Zijn huid is bleek, onder zijn vriendelijke ogen hangen wallen. Zijn haar is nog nat van de douche. Twaalf uur 's middags is voor hem nog voor dag-en-dauw. Bij Michiel thuis hebben ze een café en dan kan het wel eens laat worden 's nachts.

'Wat leuk dat je mee bent,' zegt Michiel, en hij meent het.

'En nog leuker dan je dacht,' lacht pa. 'Kijk maar, ik heb iets voor je meegebracht. Iets anders dan appels.'

Michiel neemt het pakje aan. Groot is het niet, maar zwaar wel. Het zal toch geen...? Als dat maar niet tegenvalt. Gretig scheurt Michiel het papier eraf. En jawel, hoor: een superzakmes.

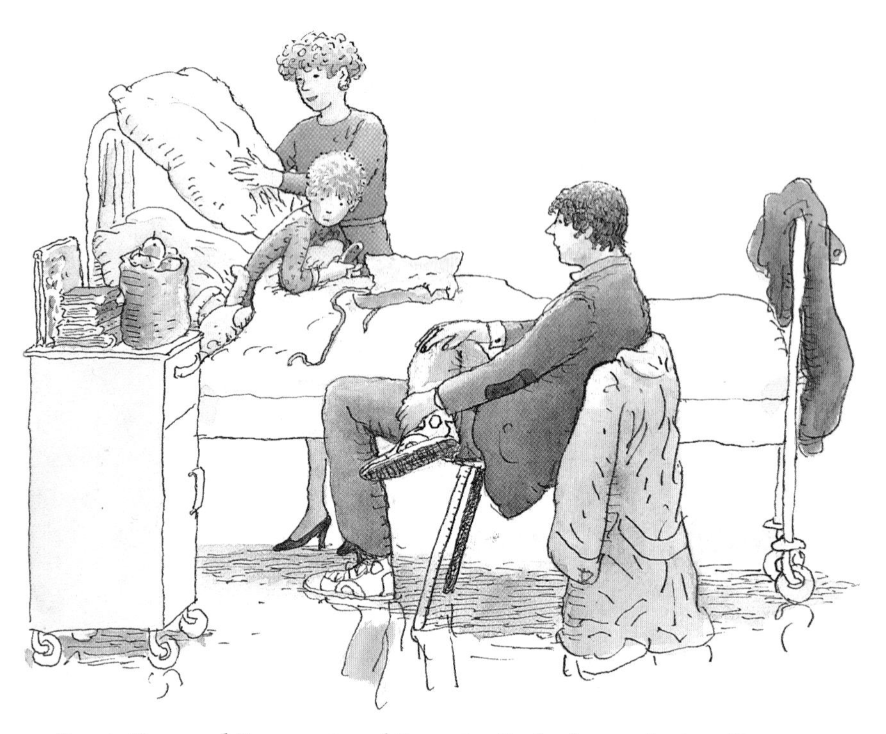

'Jemig!' roept hij en springt bijna uit zijn bed van plezier. 'Dat is een dikke! Kijk eens: twee messen en een kurketrekker en – wat is dat, pa?'
'Een kruiskopschroevedraaier,' weet die, 'voor van die malle schroeven met een kruisgleuf.' Maar Michiel is al verder:
'...en een blikopener en een flesopener en, kijk eens, een loep en een pincet en een schaartje. Met een echte bloedgeul in het grote mes!'
'Brrr,' zegt ma. 'Is dat niet gevaarlijk?'
Pa slaat een arm om haar heen. 'Ach, welnee, dat kan geen kwaad. Michiel is oud en wijs genoeg om dat mes goed te gebruiken.'
'Laten we het hopen,' zegt ma en zet de kussens achter Michiel weer recht. Daarbij komt, voor de tweede keer die dag, meneer Beer te voorschijn.
'Hé, is dat niet je ouwe beer,' zegt pa, 'hoe komt die nu hier?'
'Die heb ik voor hem meegenomen,' antwoordt ma in plaats van Michiel.

'Michiel heeft er een hele steun aan gehad in het ziekenhuis, hè Michiel?'
'Is hij daar niet wat te oud voor, voor een beer in zijn bed?' vraagt pa, eveneens over Michiels hoofd heen.

Daar ligt Michiel, tussen een superzakmes en een speelgoedbeer. Hij zou wel door de grond willen zinken, maar dat valt niet mee als je in een ziekenhuisbed ligt.

'Je moet in een ziekenhuis ook weer als een klein kind op de po,' helpt ma hem, 'waarom zou je dan niet met een beer mogen slapen? Thuis doet hij dat vast niet meer, hè Michiel?'

'Wat een fantastisch mes,' zegt Michiel, om de aandacht af te leiden. Iedereen is zo vriendelijk om daar in te trappen. Alle mesjes en peuteraars worden zorgvuldig aan een onderzoek onderworpen. Van sommige dingen weten ze niet zeker waarvoor het dient. Wanneer het bezoekuur om is, zijn ze er nog niet uit.

'Wil het bezoek afscheid nemen?' vraagt de hoofdzuster, haar hoofd om de deur. De meeste bezoekers staan snel op, blij dat ze weg mogen, het ziekenhuis uit, de zomerzon in. Ze zijn een beetje bang van ziekte en dood.

Wanneer pa al op de gang staat, neemt ma nog even afscheid: 'Nou, tot morgen dan. Hou je taai, hè, die laatste paar daagjes. En hou jij meneer Beer maar lekker bij je, hoor.'

Dat had ze nu net niet moeten zeggen. Michiel blijft er de rest van de dag over denken. Pa heeft gelijk, besluit hij. Teddyberen zijn voor kinderen. Er is maar één manier om ooit volwassen te worden.

'Meneer Beer,' fluistert hij, 'ik moet u iets zeggen. We hebben het altijd goed gehad samen, maar nu is het op. Ik ben nu groot.' En, na een korte stilte: 'Maar in het ziekenhuis blijft u bij me, toch?'

Michiels besluit staat vast: wanneer hij straks beter is, moet meneer Beer weg. Hij aait zijn beer en moet huilen. Groot worden valt niet mee.

Het duurt lang die avond voor ze samen inslapen: een jongen die Michiel heet en een meneer die een beer is. De jongen houdt de beer stevig omklemd. Een beer is een heel houvast, ook al ben je niet meer de jongste.

Het afscheid

Wanneer ze 's ochtends van het ziekenhuis thuiskomen, is het café nog dicht. Michiel is door ma afgehaald met de taxi. Niet dat dat echt nodig was – hij is helemaal beter – maar het hoort er een beetje bij, zoals champagne bij nieuwjaar.

Met haar sleutels doet ma het café open. De lucht slaat Michiel tegemoet: verschaald bier en sigaretterook. Anders walgt Michiel daarvan, nu kringelt het als parfum in zijn neus. Eindelijk iets anders dan die weeë ziekenhuislucht. In de huiskamer ontdekt Michiel nog meer luchtjes. Hij had nooit geweten dat een tafelkleed zo lekker kan ruiken, en gordijnen, en een koperen vaasje. En dan die kleuren: niet alleen wit, maar ook rood en geel en groen en blauw en alles daartussen. Michiel voelt zich weer thuis.

Er ontbreekt maar één ding aan Michiels geluk. Of beter: er is één ding te veel. Eén íemand eigenlijk: meneer Beer. De tijd is gekomen. Meneer Beer moet weg. Zodra hij daaraan denkt, betrekt Michiels gezicht.

'Wat is er met jou opeens? Daarnet zat je nog zo te babbelen en nu zeg je geen woord meer,' merkt ma op.

'Ach, laat die jongen toch,' zegt pa, die net uit zijn bed komt en denkt: 'En míj ook, graag.' Gisteren was het vrijdagavond; uitgaansavond. De cafémuziek dendert nog na in zijn hoofd. Rust, dat is alles wat hij wil op zaterdagochtend.

Michiel glipt naar zijn kamer boven. Alles staat er nog. Op zijn kussen ligt een grote tekening. 'Welkom thuis' staat erbij geschreven.

'Van de kinderen van je klas,' zegt moeder in de deuropening. Michiel had haar niet horen aankomen. 'Die hebben ze gisteren gebracht.'

'Wat leuk,' zegt Michiel en legt de tekening op de stoel naast zijn bed. Op die stoel zat meneer Beer altijd. Hij zal er nooit meer zitten, heeft Michiel besloten.

'Mag ik m'n ziekenhuistas, ma, dan pak ik alles meteen uit,' vraagt Michiel.

'Ik ga al,' zegt ma en voegt de daad bij het woord. Ze geeft Michiel de tas en laat hem alleen. Alles uit de tas komt terug op zijn oude plaats. Alleen voor het zakmes moet een nieuw plekje worden gezocht. Een ereplaats. Aan het hoofdeind van het bed moet een schaatsmedaille wijken voor het mes.

De tas is nu leeg. Op meneer Beer na. Michiel kijkt hem aan en loopt dan naar de spiegel boven de wastafel. Hij bekijkt zichzelf eens goed van alle kanten. Na tien minuten ziet hij zijn spiegelbeeld praten en hoort hij zichzelf zeggen: 'Te oud. Inderdaad. Ik ben er te oud voor.'

In de spiegel trekt Michiel een zo onverschillig mogelijk gezicht. Met dat gezicht loopt hij naar meneer Beer, pakt hem schijnbaar achteloos aan een oor en loopt de trap af. Terwijl hij met zijn linkerhand meneer Beer achter zijn rug houdt, opent hij met de rechter de huiskamerdeur op een kier en zegt: 'Ik ga even wat kopen.'

'Wát ga je dan kopen?' vraagt zijn moeder nog, maar Michiel is al weg, door het lege café, via de zijdeur, naar buiten. Over een binnenplaatsje en door een steegje komt hij bij de achterkant van een pension. Daar staan altijd vuilnisbakken buiten. Van de tweede van links tilt Michiel het deksel op. Zonder te kijken laat hij meneer Beer in de bak vallen en doet het deksel

weer dicht. Morgen is het vuilnisophaaldag. Dan is meneer Beer uit zijn leven. Fluitend loopt Michiel naar huis.

'Wat heb je nou gekocht?' is het eerste wat zijn moeder wil weten.

'O, eh, niks,' stamelt Michiel, die dat helemaal is vergeten. 'De winkel was dicht, geloof ik.'

'Geloven moet je in de kerk doen.' Daar laat ma het gelukkig bij.

Die middag kent Michiel geen rust. Zijn kamer lijkt lang niet zo gezellig als anders. Hij loopt maar eens het café binnen. Er zitten al wat vaste klanten.

'Dag oom Jan, dag meneer Van Klaveren, dag mevrouw Bloem.' Altijd alle vaste klanten gedag zeggen, heeft zijn vader hem geleerd, dat is goed voor de klandizie. Veel klanten zien daar ten onrechte een uitnodiging in om zich met Michiel te bemoeien. Net kleffe ooms of tantes. Hun bemoeizucht levert vaak iets op – snoep of een gulden – maar daarvoor willen ze steeds aan je zitten.

Oom Jan is een dikke man met vastgeplakt zwart haar. Hij ruikt naar zweet.

'Hé maatje,' roept Jan, nu al aangeschoten, met zijn rauwe stem. 'Ben je al uit het ziekenhuis?'

'Dat kunt u toch wel zien,' bitst Michiel, minder vriendelijk dan het was bedoeld. Hij is net niet snel genoeg om de uitgestoken hand van oom Jan te ontwijken. De hand is zo sterk als een bankschroef.

'Moet je een cola vamme?' Jan wacht het antwoord niet af. 'Henk, één cola voor je zoon!'

'Ik hoef geen cola,' snauwt Michiel en rukt zich los.

Pa ziet het van achter de bar hoofdschuddend aan. 'Wat die vandaag heeft, ik weet het niet. Die heeft de kriebels in zijn lijf.'

'Dat is niet zo gek als je net anderhalve week hebt moeten stilliggen,' sust meneer Van Klaveren. Michiel mag meneer Van Klaveren wel. 'Hier,' zegt hij, 'ga maar een ijsje kopen of zie maar wat je ermee doet.'

Met de rijksdaalder in zijn hand loopt Michiel het café uit. Opeens weten zijn voeten waar ze heen willen. Langs de zijdeur gaan ze, het plaatsje over en de steeg door, naar de tweede vuilnisbak van links. Daar blijven ze staan. Nu beginnen Michiels handen ook al. Ze gaan naar het handvat van het deksel. Even weifelt Michiel, dan neemt hij zelf het bevel over zijn handen en voeten weer over. Hij draait zich een halve slag en loopt vastberaden door, naar de snackbar.

Met een gulden in zijn broekzak en een ijsje van één vijftig in zijn hand loopt Michiel terug. Door de steeg. Die beer in die vuilnisbak doet hem niks meer, dat is nu wel bewezen, vindt Michiel. Toch begint hij langzamer te lopen. Bij de vuilnisbak blijft hij staan. Even dan, één blik. Michiel doet het deksel omhoog. Daar, boven op de vuilnis, zit meneer Beer. Op zijn schoot heeft hij een leeg pak hopjesvla en een kledder rijst. Op zijn hoofd zit koffieprut, aan een oor hangt een theezakje. De bak stinkt.

Wanneer Michiel het deksel langzaam dichtdoet, blijven de ogen van meneer Beer hem door de spleet aankijken. Ze kijken dwars door hem heen.

Met een ruk gooit Michiel het deksel open, pakt meneer Beer uit de rotzooi en drukt hem tegen zich aan als een moeder haar baby. Bah, wat stinkt dat. Het ijsje verdwijnt in de vuilnisbak en met de vrijgekomen hand maakt Michiel meneer Beer min of meer schoon.

'Sorry, meneer Beer, dat was de bedoeling niet,' stamelt hij. 'Kom mee, ik weet iets beters.' Onder een afdakje aan de binnenplaats rommelt Michiel wat met oude bloempotten en stukken hout, tot er een plaatsje vrij is. 'Wacht hier op me,' zegt hij, 'dan ga ik een plastic zak halen. Gaat het zo?'

Meneer Beer zegt niets.

Het duurt een kwartier voor Michiel terug is; meneer Van Klaveren wou waar voor zijn geld en liet Michiel niet eerder los met zijn geklets. Nog voordat Michiel om de hoek komt, hoort hij al dat er iets mis is. Van het binnenplaatsje komt luid gejoel. Dat zijn die vervelende jongens van de brugklas, weet Michiel.

'Geef hem een loei,' hoort hij de stem van Bart Jonkers, de ergste van het

stel. 'Dit is de eerste bal die zelf het doel opzoekt, met zijn eigen ogen. Haha! De andere jongens lachen mee, te hard en te vals.

Michiels bange voorgevoel wordt bewaarheid. De lummels hebben meneer Beer gevonden en gebruiken hem als voetbal.

'Blijf eraf, die is van mij,' probeert hij nog, maar dat werkt averechts.

'Van jou, die voddepop? Van je jongste zussie zul je bedoelen. Of ben je zelf pas zes? Hihi, moet je horen, meneer wil zijn teddybeer! Kom hem maar halen, slome!' En met een trap zeilt meneer Beer hoog door de lucht, naar een van de andere jongens. Heen en weer gaat het. Bij elke trap vertrekt het gezicht van meneer Beer in een pijnlijke grimas.

'Hou op, hou op, toe nou!' Michiel schreeuwt van woede en wanhoop terwijl hij probeert meneer Beer op te vangen.

'Springen, berevrijer, hoger!' roept er één, zo mogelijk nog gemener dan Bart Jonkers. Dat doet Michiel. Zo hoog heeft hij met gym nog nooit gesprongen. Maar hij krijgt meneer Beer niet te pakken. Bij zijn laatste sprong krijgt Michiel een duw, zodat hij omvalt en zijn voet bezeert. Bart spuugt nog eens, vlak langs Michiel, die machteloos moet toezien hoe het groepje wegrent, met meneer Beer. Nog een hele tijd kan Michiel hun gejoel horen, zij het steeds zwakker, verder weg.

Zodra de pijn in zijn voet is gezakt, gaat Michiel op zoek naar zijn beer. Nu eens lopend, dan weer hinkend kijkt hij onder struiken en in portieken. Tevergeefs. 'Waarschijnlijk,' besluit hij, 'hebben ze hem in het water gegooid. Voor altijd weg. Maar dat wou ik toch ook?'

Michiel is maar net op tijd voor het avondeten.

Na het eten gaan Michiels ouders beiden werken achter de tap in het café. Het is zaterdagavond. Michiel kijkt in zijn eentje televisie, maar het boeit hem niet. Hij is blij wanneer het bedtijd is. Zoals altijd op zaterdag loopt hij het café in om welterusten te zeggen. Pa staat te tappen, ma praat, omringd door mannen. Zo is het meestal. Mannen vinden zijn moeder mooi en daar is Michiel het van harte mee eens. Net als hij haar een nachtzoen wil geven, trekt een van de mannen hem aan zijn schouder.

'Hé, Michiel, ik heb wat voor je!'

Een ander mengt zich erin: 'Daar is die jongen toch te oud voor, Karel.'

'Dat maakt hij zelf wel uit,' vindt Karel. Met één zwaai grijpt hij onder zijn kruk en zet iets op de bar. Het zit flink onder het zand, maar het is onmiskenbaar meneer Beer.

'Waar hebt u hem vandaan?' stamelt Michiel. Hij is krijtwit.

'Heeft m'n hond gevonden, vanavond bij het uitlaten. In het park kwam hij er opeens mee aanzetten. Nou, hebben of niet?'

'Nee, oom Karel. Ik bedoel ja.' Michiel roetsjt de beer van de toog en rent er, zonder zijn vader nog goedenacht te wensen, mee het café uit, naar zijn kamer. Wat moet hij anders doen?

In bed overdenkt Michiel de situatie. Het is duidelijk: een beer kun je niet weggooien. Wat nu? Weggeven? Hoe kom je van een beer af?

De beer in kwestie zit op de grond. Hij ruikt naar aarde, koffiedik en hopjesvla.

Houtwol en ijzerdraad

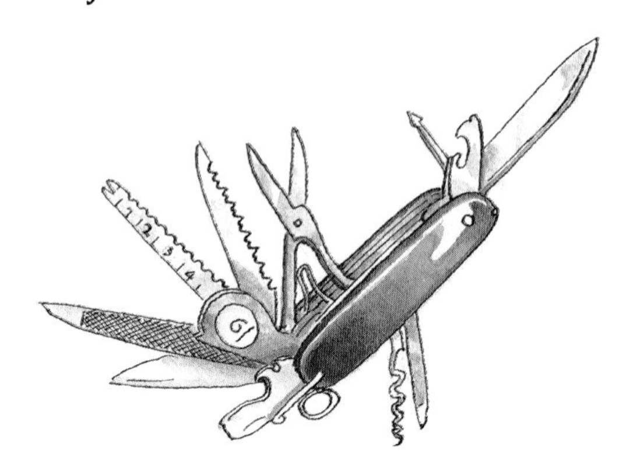

Hij had er zich zo op verheugd weer thuis te slapen, maar de eerste nacht doet Michiel geen oog dicht. Zo kan het niet langer, beseft hij 's morgens. Er zit niets anders op: vandaag moet het gebeuren.

'Je bent nog steeds zo stil,' merkt ma aan het ontbijt op. 'Wat is er toch?'

'Niks.' Michiel probeert gewoon te kijken. Het overtuigt zijn moeder niet.

'En je ziet zo bleek! Je bent toch niet weer ziek? Kom, eet eens door. Papa en ik moeten zo weg, dat weet je, en dan wil ik dat alles aan kant is.'

Michiel sputtert: 'Ik heb geen honger.' Dat is de waarheid. Maar voor de waarheid koop je soms weinig. Als hij niets eet, weet Michiel, blijft zijn moeder aandringen en haalt ze er binnen de kortste keren de koortsthermometer bij. Traag kauwt Michiel op een boterham. Hij wil niet zakken. Met twee koppen thee spoelt Michiel de broodprop door, zijn maag in.

Ma kijkt Michiel nog eens onderzoekend in de ogen, maar dringt niet aan. Ze heeft haast. 's Zondags is het café dicht en die ene vrije dag wil ze benutten. Michiels vader is de auto al aan het halen. Samen met zijn moeder ruimt Michiel snel de tafel af.

'Nou, we gaan,' zegt ze, terwijl ze haar tas pakt. 'Weet je zeker dat je niet mee wil?'
'Ja, ma.'
'Vermaak je je wel, zo alleen op zondag...'
'Ja, ma.'
'... of zal ik opa en oma bellen?'
'Nee, ma.'
'Nou, dan ga ik maar.'
'Dag ma.'
'Eet je nog wel wat, straks? Er staat nog een stukje kip in de koelkast en het brood zit in de broodtrommel.'
'Dat weet ik, ma.'
'Tot vanavond, dan.'
'Tot vanavond.'

Van achter het raam zwaait Michiel naar zijn vader achter het stuur. De auto verdwijnt om de hoek.
'Zo. Die zijn weg,' denkt Michiel. 'Eindelijk alleen in huis. Hoewel, alleen? Was het maar waar. Er is nog iemand te veel.'
Michiel gaat de gang in en de trap op, naar zijn kamer. Zijn bed is onopgemaakter dan ooit. Michiel let er niet op. Hij loopt rechtstreeks naar zijn beer. Hij tilt hem van de grond en zet hem op zijn bureau. Michiel gaat aan het bureau zitten, zodat zijn ogen op dezelfde hoogte zijn als die van zijn beer. Zo zitten die twee een tijd, oog in oog.
'Meneer Beer, waarom komt u steeds terug?'
Meneer Beer kijkt stom terug.
'Gaat u toch weg, alstublieft!'
Beren kunnen niet spreken, hoe graag mensen dat soms ook willen. Meneer Beer blijft zitten waar hij zit.
'Zo laat u me weinig keus, is het niet?' vraagt Michiel in zijn beste beers. Hij schudt zijn hoofd. Het liefst zou hij meneer Beer dicht tegen zich

aandrukken, net als vroeger, maar dat zou verraad zijn; vroeger is nu voorbij. Zenuwachtig strijkt Michiel met zijn hand door zijn haar. Zijn hoofd is warm, zijn hand is koud. Het duurt een hele tijd voor hij iets kan zeggen. Maar nu ligt er dan ook een plechtige klank in zijn stem. Het is een toespraak. Een jongen spreekt zijn beer toe:

'Luister eens, meneer Beer. Zo kan het niet langer. U staat in de weg. Ze lachen me uit. Daar moet een eind aan komen. Dat begrijpt u toch ook wel?'

Op zoek naar begrip kijkt Michiel zijn beer diep in de ogen, alsof hij zo tot het binnenste door kan dringen. Het binnenste van een beer. Heeft een beer een hart? 'Een beetje houtwol en wat ijzerdraad, meer zit er niet in,' heeft pa wel eens gezegd. Waarmee zou een beer dan van je moeten houden?

'Een beetje houtwol en wat ijzerdraad, meer zit er niet in.' Michiel mompelt de woorden van zijn vader zachtjes na. Dan kijkt hij met een ruk weer op, verschrikt, alsof hij bang is dat meneer Beer het heeft kunnen horen. Het zijn slechts woorden, maar toch helpen ze Michiel een besluit te nemen. Het moet nu gebeuren.

Nu.

Michiel loopt naar het hoofdeinde van zijn bed, pakt iets en komt op meneer Beer af.

'Vergeef me,' zegt hij, en stoot het grootste mes midden in de buik van meneer Beer.

'Poef.' Dat is het eerste dat meneer Beer in zijn leven zegt. En het laatste. Een zacht, bescheiden 'poef'.

Het is voldoende om Michiel dol te maken. Met één haal van het mes rijt hij de buik van meneer Beer over de volle lengte open. Het maakt een akelig geluid. Michiel voelt zichzelf gloeiend heet worden. Zo heeft hij zich nog nooit gevoeld. Net of hij het zelf niet is.

Het is maar goed dat niemand het heeft gezien. Niemand heeft gezien wat een jongen met roodaangelopen gezicht een weerloze beer heeft aangedaan. Hijgend heeft hij op hem ingehakt, de houtwol uit de buik getrokken, armen en benen afgerukt. Het ijzerdraad heeft hij net zo lang heen en weer gebogen tot het knapte. Tot slot heeft de jongen op de resten staan stampen en dansen, uitzinnig en weerzinwekkend. Moord. Met voorbedachten rade.

Op een beetje houtwol en wat ijzerdraad, meer niet, ligt een jongen. Hij huilt schokkend, met lange uithalen. Zijn wangen zijn ruw van de tranen. Het hoopje houtwol is vormeloos; een hart is er niet in te bekennen. Wel liggen ernaast twee ogen. Losse ogen. Het ene kan geen kwaad, dat ligt ondersteboven, maar het andere kijkt de jongen aan. Indringend. Verwijtend.

'Arme, lieve beer,' fluistert de jongen, 'wat hebben ze je aangedaan?'

Zo ziet heel groot verdriet eruit.

Honing en gebrom

Het gaat heel geleidelijk. De eerste weken heeft Michiel het zelf niet eens in de gaten. Zijn moeder wel.

'Neem je nu al weer honing op je brood?' vraagt ze steeds vaker aan het ontbijt. Op een gegeven moment wordt het haar te veel. 'Al die zoetigheid, dat is slecht voor je tanden,' barst ze los. 'En het is nog duur ook, honing. Het geld groeit me niet op de rug! Neem toch eens kaas, of eet een appel, daar was je vroeger altijd zo dol op.'

Pa vindt het nog te vroeg voor gezeur aan tafel. 'Als die jongen dat nou eten wil, laat hem dan. Honing maken ze van bijen, dat kan niet slecht zijn. Puur natuur, dat zit vast vol vitaminen en zo.'

'En het is goed voor herstellende zieken,' leest Michiel voor van het etiket. 'Dat moet ik net hebben.'

'Onzin, je bent al lang weer thuis. Voor mij ben je beter. Nog beter is er niet,' vindt ma.

Gesterkt door de woorden van zijn vader loopt Michiel echter al naar de kast om een nieuw potje te pakken. 'Heidehoning' staat erop. Ha, die vindt

hij het lekkerst. Met forse halen smeert hij zijn boterham vol. Mmm, net of het elke keer lekkerder is.

Ma kijkt Michiel meewarig aan. 'Ik kan ook net zo goed tegen de deurknop praten, jullie luisteren toch niet. Maar schiet wel een beetje op, Michiel, het is al bijna acht uur, de school begint zo.'

'Nog eentje,' roept Michiel en propt zijn mond vol. 'Nogmp eenmptje, pann pennik weg.' Met de volgende boterham half in, half uit zijn mond loopt hij naar de kapstok. Er druipt honing langs zijn kin.

'Pas maar op dat je onderweg geen bij tegenkomt,' zegt pa.

'Schiet liever op.' Ma komt op Michiel aflopen. 'Wat sta je daar nu te hannessen met die jassen?'

Van helemaal onderop, waar de winterjassen al de hele zomer hangen, pakt Michiel zijn dikke, bruine jas en trekt hem aan.

'Zou je die wel aandoen met dat lekkere weer?' Ma is het er niet mee eens. 'Die jas is veel te warm. Je lijkt er wel een beer in.'

Bij die laatste woorden flikkert er een lichtje op in Michiels ogen. Zijn moeder ziet het niet, want weg is hij al, naar school.

Onderweg loopt Michiel te neuriën. Het gaat vanzelf: 'Brmm, brmm, brmm.' Als hij er de pas inzet om niet te laat te komen, gaat het neuriën ook sneller: 'Brommerdebrommerdebrompompom, brommerdebrommerdepom.' Ondertussen probeert Michiel hoe laag hij met zijn stem kan komen. Dat valt tegen. Maar hij moet de baard in zijn keel nog krijgen. 'Zouden beren,' vraagt hij zich af, 'met de baard in de keel worden geboren?'

Als je je met dat soort vragen bezighoudt, ben je op school voor je het weet.

'Wat loop jij te brommen?' vraagt Ries van Malsen, de jongen van de bank vóór hem. 'En die malle jas; je lijkt wel een beer!'

Dat is al de tweede keer vandaag, dat iemand dat zegt. Tevreden kijkt Michiel Ries aan.

'Ik mag ze wel, de beren,' is alles wat hij zegt.

Na school gaat Michiel meteen naar zijn kamer. Dat doet hij wel vaker. Zijn vader en moeder zijn toch aan het werk. Vanaf zijn bureaustoel kijkt Michiel zijn kamer rond. Er is maar één andere stoel, maar dat is niet die waar meneer Beer altijd op zat; die heeft Michiel omgeruild voor een andere. Behalve het bureau en een bed telt de kamer alleen nog een kast en een wastafel. Op de kast staan Michiels boeken. Omdat zijn ouders niet veel tijd voor hem hebben, leest hij veel.

Michiel loopt op de wastafel af en kijkt in de spiegel. Hij trekt allerlei gezichten. Beregezichten. Tenminste, dat hoopt hij. Na het dertiende gezicht houdt hij ermee op. Hoe kijkt een beer?

In zijn boeken zoekt Michiel naar beren. Dat zijn er nogal wat: Bolke de Beer, Ollie B. Bommel, Bruintje Beer en Winnie-de-Poeh. Maar ook in zijn oude prentenboeken wemelt het van de beren. Veel wijzer wordt Michiel er niet van. De beren in die prentenboeken bakken pannekoeken, met rokjes aan en hoedjes op. Ollie B. Bommel heeft wel een jasje aan, maar geen broek

en wat hij van Bolke de Beer moet denken, daar krijgt Michiel geen hoogte van. Het leukste vindt hij Winnie-de-Poeh, maar die lijkt dan ook het meest op meneer Beer. *Wijlen* meneer Beer, zo denkt Michiel aan hem. Het leuke van Winnie-de-Poeh is ook dat hij liedjes maakt. Echte bereliedjes:

'Iedereen ter wereld weet,
Dat een beer graag honing eet.
Brom – Brom – Brom,
Maar niemand weet, waarom.'

Met dat versje voor zich op het bureau staart Michiel uit het raam. 'Is dat zo?' denkt hij, 'houden beren echt van honing? Ollie B. Bommel eet het anders nooit. En niemand weet, waarom? Hoe kom je daar achter? Bij een beer natuurlijk. Maar waar haal je in Nederland een echte beer vandaan?'

'Morgenmiddag is het woensdagmiddag,' bedenkt Michiel. 'Morgenmiddag ga ik naar de dierentuin.'

De berenburcht

Het regent en er staat een koude wind. Weer om thuis te blijven. Maar niet voor Michiel; Michiel gaat beren kijken, in de dierentuin. Voor beren kijken is het, heeft hij besloten, altíjd weer.

Het is een hele reis. Eerst met de bus, daarna met de tram. Gelukkig is de dierentuin niet moeilijk te vinden; overal staan bordjes.

Bij de ingang vraagt de man van het loket: 'Hoe oud ben je?'

'Tien, meneer,' antwoordt Michiel. Waarom zou hij er om liegen?

'Dan heb je geluk. Kinderen betalen maar *f* 6,50; anders is het tien gulden.'

'Kinderen,' denkt Michiel, terwijl hij zonder iets te zeggen een tientje neerlegt, 'kinderen, die slapen nog met een teddybeer.'

De man geeft Michiel *f* 3,50 wisselgeld terug. 'Dus dat is het,' denkt Michiel en loopt de tuin in, 'dat is dus het verschil tussen een kind en een volwassene: *f* 3,50. Niet veel voor al die moeite.'

'Kraah!' schreeuwt een bontgekleurde vogel. Michiel schrikt uit zijn gedachten op. Hij kijkt om zich heen. Er is weinig dat hem bekend

voorkomt. Het is dan ook al lang geleden dat hij hier is geweest. Hij was toen nog klein. Zijn moeder wilde bijna nooit naar de dierentuin. Al die opgesloten beesten, dat vond ze zielig. 'Je gaat toch ook niet een dagje naar de gevangenis?' zei ze dan. Maar het kan best zijn dat ze gewoon geen tijd had om naar de dierentuin te gaan.

'Hou je snavel,' zegt Michiel tegen de bontgekleurde vogel. 'Jou zoek ik niet. Beren moet ik hebben. Waar zitten die eigenlijk?' Er staan wel wegwijzers in de tuin, maar beren staan er niet op; die zitten zeker ver van de ingang. Tenzij... Michiel ziet iets bekends. Wat is dat?

Op een stuk boomstam in een klein perk zit een prachtig soort beertje. Vanuit een dikke, roodbruine pels kijken twee wit-omrande ogen Michiel vragend aan. Michiel kijkt vragend terug. 'Wat voor beer ben jij?' vragen Michiels ogen. Zo'n heerlijk dier heeft hij nog nooit gezien. Wat zou hij graag met zijn hoofd in die warme vacht rollebollen. Zoiets zul je in je bed aantreffen! Of kun je, vraagt Michiel zich af, voor echte beren ook te groot worden?

Het beertje komt nieuwsgierig op Michiel af. Alleen het hek scheidt de twee zoogdieren die zo verschillend zijn, maar tegelijk ook zo hetzelfde. Pas na een minuut of tien kan Michiel zijn blik van het dier losmaken om op het bordje aan het hek te kijken.

'KLEINE PANDA *(Ailuropoda fulgens)*' staat er op het bordje. 'Himalaya. Net als de grote panda slechts in de verte familie van de echte beren.'

'Slechts in de verte familie van de echte beren?' denkt Michiel. Hij fronst zijn wenkbrauwen. 'Hoe ziet een echte beer er dan uit?' Een beetje in de war loopt Michiel van het hek weg, nagekeken door de kleine panda, alsof die zich afvraagt waarom hij opeens geen aandacht meer krijgt.

Naast de kleine panda hebben de leeuwen hun terrein. Hoewel, leeuwen? Na zijn ervaring van daarnet twijfelt Michiel overal aan. Zijn dat nu de stoere beesten uit zijn kinderboeken? Het lijken wel mottige, vergeelde vloerkleedjes die daar liggen. Als dat de koning van de wildernis is, hoe erg is de wildernis er dan wel niet aan toe?

'Weet u waar de beren zijn?' vraagt Michiel aan een oud mannetje op een bank, dat eruitziet alsof hij daar al jaren heeft gezeten. Het mannetje weet het. Michiel bedankt hem en loopt stevig door in de aangewezen richting, zonder zich nog door andere dieren dan beren te laten afleiden. Zoals in elk park maakt het pad de raarste bochten. Na de laatste bocht weet Michiel vanzelf dat hij er is. Hij ruikt ze, de beren. Ook al heeft hij nog nooit een

beer geroken, toch weet hij dat dit hun lucht is. Het ruikt hier naar natte regenjassen.

De geur komt uit een soort oud spoorwegstation. Bij nader inzien lijkt het berenverblijf echter meer op een fort, met dikke, grauwe muren. In die muren zitten grote openingen, in de openingen zitten tralies en daarachter zitten grote dieren. Zéér grote dieren.

'Jemig, wat een grote,' denkt Michiel. De beren zijn wel tien keer zo groot en misschien wel honderd maal zo zwaar als meneer Beer was. Een veel te dikke, veel te ruime pels hebben ze aan. Het gekste is dat deze beren op handen en voeten lopen, net als gewone dieren. Hun lange nagels tikken op het beton. Voor alle zekerheid kijkt Michiel snel op het bordje. 'BRUINE BEER *(Ursus major)*' staat er. Dat is 'm.

Veel bezoek hebben de beren niet. Alleen een mevrouw met een kind in een wandelwagentje heeft regen en wind voor ze getrotseerd. Michiel hoort haar in haar tas rommelen. Hij is niet de enige die het hoort. Aan de andere kant van de tralies draait de grootste beer zijn kop in de richting van het geluid. Het is een vorstelijk dier, met een dikke bontkraag en twee zachte ogen met lange, donkere wimpers, alsof er mascara op zit. Als om te laten zien dat hij méér kan dan op handen en voeten lopen, gaat de reuzenbeer op zijn reuzenachterste zitten. Het geknisper in de tas houdt aan en de beer drukt zijn lijf omhoog, als een gewichtheffer zijn gewicht, tot hij recht overeind staat. Zijn achterwerk hangt erbij alsof hij het in zijn broek heeft gedaan.

De mevrouw lacht vertederd. 'Hier, Ursus,' roept ze en werpt de beer iets te eten toe. Ursus zakt verbazingwekkend snel op vier poten terug en werkt het eten naar binnen. Dit herhaalt zich twee maal. Dan gaat de mevrouw met haar kind weg. Michiel is weer alleen met de beren.

'Hallo,' is alles wat hij tegen Ursus zegt, met een benepen stemmetje. Hij zwaait er zwakjes bij. De beer neemt er geen notie van. Op zijn achterste gezeten begint hij te spelen met een tak die in de kooi rondslingert. Hierbij laat hij af en toe zijn tanden zien. Dat zijn er heel wat, en flinke ook. 'Een alleseter,' herinnert Michiel zich van school, 'dat kun je wel zien.' Misschien is de snuit daarom wel zo lang, om al die tanden een plek te geven. In ieder geval is hij veel langwerpiger dan die van meneer Beer. Meer een hondesnuit.

Het is een genoegen om de beren rond te zien stommelen op hun dikke berevoeten. Michiel geniet er van, regen of niet. Die dieren daar voor hem zijn zo heel anders dan meneer Beer, en toch zou hij niets liever willen dan met ze meedoen.

Opeens hoort Michiel een stem naast zich. Een lage, rauwe stem. De stem klinkt naar zware shag, maar is toch heel vriendelijk.

'Vat je daar geen kou, joh? Je bent doornat!'

Michiel voelt aan zijn kleren. Die zijn inderdaad doorweekt. Hij moet hier een hele tijd hebben gestaan.

'Jij moet een echte berenliefhebber zijn,' zegt de stem. Michiel draait zich naar hem toe. Bij de stem hoort een vriendelijk gezicht, met een grote snor en een bos springerig haar. Op die haren staat een pet. Een oppasserspet.

'Ben jij niet Michiel, van café De Druif?' vraagt de oppasser.

Michiel knikt.

'Daar kwam ik vroeger vaak,' zegt de oppasser, 'maar nu nooit meer. Drinken is niet meer goed voor me. Maar hoe is het met jou? Ik heb je hier geloof ik nooit gezien.'

'Ik ben ook voor het eerst,' beaamt Michiel, 'ik kwam voor de beer.'

'Dé beer?' De oppasser lacht. Hij heeft pretoogjes. 'Nou, dan mag je nog wel eens rondkijken. Dit is nog maar de gewone bruine beer. We hebben ook een zwarte beer en een Maleise beer en een brilbeer en...'

'...en een teddybeer?' Michiel heeft het eruit geflapt voor hij er erg in heeft.

'Haha.' De pretoogjes glimmen goedaardig. Maar de oppasser wordt weer ernstig als hij de verlegen blik in Michiels ogen ziet. 'Teddyberen,' zegt hij, en laat zijn stem op vertrouwelijke toon zakken, 'teddyberen zijn niet voor in de dierentuin. Teddyberen zijn voor thuis, om van te houden.'

Michiel weet niet goed wat hij moet zeggen.

'Wil je meer weten van beren?' vraagt de oppasser.

Daarop weet Michiel het antwoord wel. 'Nou, graag meneer,' zegt hij.

'Dat kan.' De oppasser krabbelt onder zijn pet. 'Maar dan zul je een andere keer terug moeten komen. Het is nu sluitingstijd.'

'Nu al?' Michiel kijkt hem ongelovig aan.

'Echt waar. Met zonsondergang moeten we dicht zijn en dat is al vroeg in deze tijd van het jaar. Maar je bent altijd welkom. Kun je op een

woensdagmiddag?'

'Ja, meneer.'

'Kom dan om een uur of drie. Dan kun je me helpen.'

'Waarmee?' vraagt Michiel nieuwsgierig.

De oppasser doet of hij niets heeft gehoord. 'Dus tot woensdag, of de woensdag daarop, om drie uur. Zeg maar tegen de portier dat je bij oom Koos moet zijn, dan is het wel goed.'

'Oom Koos?'

'Ja, oom Koos, zo noemen ze me allemaal.'

Michiel kijkt hem een beetje dom aan. Het gaat ook zo snel allemaal.

'Dag oom Koos,' zegt hij dan. En zonder omkijken rent hij naar de uitgang.

Het Grote Slapen

Zoals elke ochtend wordt Michiel wakker omdat zijn moeder hem onder aan de trap roept.

'Michiel! Het is tijd! Opstaan!'

Maar deze ochtend is niet als elke ochtend. Dit is de lang verwachte ochtend. Eindelijk is het herfstvakantie.

'Nee!' roept Michiel terug.

'Wát nee?'

'Nou, nee. Ik sta niet op.'

Even is het stil onder aan de trap. Dan klinkt het, dubbel zo hard: 'Je doet wát niet?'

'Opstaan. Ik sta niet op.'

Er klinkt gestommel. Ma komt de trap op. En hoe! Michiel kent dat; zo loopt ze alleen als ze kwaad is. Met een knal zwaait de deur van Michiels kamer open.

'Deruit, jij! Wat is dat voor flauwekul! Zo kan ik de kamer niet doen. Hup, je bed uit! Het ontbijt staat al klaar. Straks is je ei koud en dan heb ík

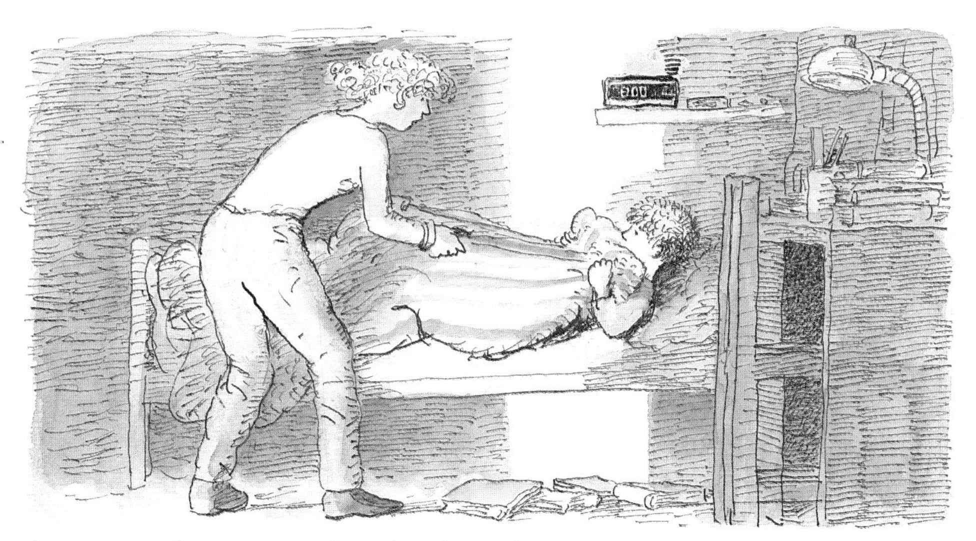

het weer gedaan!' Ma zet haar handen in haar zij. Nu pas ziet ze het bordje 'NIET STOREN' op de deur.

'Niet storen! Wie denk je wel dat je bent? De keizer van China?'

'Nou, vooruit!' Ma wil de dekens van Michiel aftrekken, maar die houdt ze stevig vast.

'Ik ga er niet uit,' houdt hij vol. 'Ik blijf in bed.'

'Je bent toch niet ziek of zo?' Met een frons in haar hoofd laat ma de deken los, minder boos nu. Ze is toch niet te streng, vraagt ze zich af.

'Nééhéé! Lamenou! Ik wil gewoon slapen. Dat mag toch? Als ik slaap doe ik toch niks kwaads? Het is míjn vakantie en dan mag ik doen wat ik wil, dat heb je zelf gezegd.'

'Maar je moet toch ontbijten?' Boos is ma al lang niet meer; ze kijkt Michiel bezorgd aan. Dat geeft Michiel nieuwe moed.

'Als je slaapt, hoef je niet te eten,' stelt hij vast, 'en als ik even wakker word, is er genoeg.' Met die woorden trekt hij het gordijn achter zijn bed opzij. Er staan wel zeven potten honing: één klaverhoning, één boekweithoning, twee heidehoning, twee acaciahoning en één koolzaadhoning. Tussen de potten liggen drie bossen wortelen.

Ma slaat haar handen voor de mond. 'Hoe kom je daar nou aan?'

'Gespaard,' zegt Michiel, niet zonder trots.

'En ik maar denken, waar blijft het allemaal.' Ma weet niet goed meer hoe ze het heeft. Zo boos als ze daarnet bovenkwam, zo onzeker staat ze nu om zich heen te kijken.

'Maar je komt er toch wel uit met het middageten?' probeert ze.

'Nee,' antwoordt Michiel.

'Maar wanneer dan wel? Hoe lang denk je dan in bed te blijven?'

'De herfstvakantie,' zegt Michiel koel. 'De hele herfstvakantie.'

'Een hele week in bed? Waarvoor?' Ma kijkt Michiel aan of hij gek is geworden.

'Nou, eh... gewoon. Om te slapen. Om winterslaap te houden.' Het hoge woord is eruit. Hoe zal ma reageren?

'Winterslaap?' herhaalt ze, en nog eens: 'Winterslaap?' Dan begint ze een beetje te lachen. Van haar boosheid is niets over. 'Maar waarom dan?'

'Nou, net als een beer.' Michiel zegt het in alle ernst.

'Maar je bent toch geen beer?'

'Mmm,' is Michiels enige antwoord.

'En de herfstvakantie is toch geen hele winter?'

'Maar ik moet toch eerst oefenen,' zegt Michiel.

Ma slaat nu als een blad aan een boom om. 'O ja, natuurlijk, oefenen,' zegt ze, alsof ze het opeens begrijpt. 'Nou, laat me je dan niet langer ophouden. Welterusten.' En weg is ze, de slaapkamer uit, de trap af.

Michiel blijft verbouwereerd achter. Dat ging gemakkelijk! Bijna al te gemakkelijk. Een kwartier blijft Michiel nog ongerust en ongelovig naar de deur kijken. Hij verwacht elk moment dat zijn vader of moeder binnenkomt met een natte spons. Maar er gebeurt niets. Dus het mag!

Tevreden rolt Michiel zich op zijn linkerzij en trekt zijn benen op. Zo slaapt hij altijd het lekkerst. Nu zijn arm nog om het kussen. Het Grote Slapen kan beginnen.

Beneden zitten Michiels ouders. Pa kijkt van zijn krant op. 'Waar blijft Michiel?' vraagt hij.

'O, die houdt winterslaap,' zegt ma, of het de gewoonste zaak van de wereld is.

'Hij houdt wát?' Pa laat zijn krant zakken.

'Winterslaap!'

Pa barst in lachen uit. 'Winterslaap! Dat is een goeie! Pff, dat zou ik ook wel eens willen. Lekker met de herfst je bed in en pas in de lente, als het zonnetje weer gaat schijnen, eruit.' Met een brede glimlach om zijn lippen zakt pa even met zijn ogen dicht onderuit.

'Voor mij zou het ook wel wat wezen,' stemt ma in. 'Als je slaapt kun je niet eten. Goed voor de lijn. Wie weet hoe prachtig slank ik in het voorjaar wakker word.'

'Voor mij ben je mooi genoeg zoals je bent,' lacht pa en strekt zijn armen uitnodigend uit. 'Kom eens in mijn hokje!'

Ma zit al op zijn schoot en vlijt zich tegen pa's borst aan. 'Dat is lang geleden,' giechelt ze.

'Ouwe berin van me,' zegt pa en strijkt door haar haar.

De rest is niet goed verstaanbaar.

Michiel slaapt als een roos. Op zijn linkerzij, met opgetrokken benen. Met zijn rechterhand wrijft hij loom over zijn borst.

In zijn droom heeft Michiel een dik behaarde borst. Hij wrijft er eens over. Lekker zacht! Maar dat is niet zo gek voor een beer. Michiel draait zich eens om. De winter is nog lang. Gelukkig is het lekker warm in het hol. En het ruikt er behaaglijk, naar vet. Berevet.

De tijd glijdt voorbij.

Opeens krijgt Michiel een verontrustende gedachte. Hoe weet een beer wanneer hij wakker moet worden? Stel je voor dat je je verslaapt, als beer, en dat je pas uit je hol komt wanneer de zomer alweer bijna voorbij is! Hebben beren wekkers?

Met zijn voorpoten wrijft Michiel zich de ogen uit. Hij voelt dat het tijd is om wakker te worden. Lente! Nee, nog één keertje omrollen. En nu, kom op, eruit, de lente roept!

Michiel kan zijn ogen nauwelijks geloven. De regen klettert op zijn raam. Onder een gure lucht staan kale bomen, met hier en daar nog net een bruin blaadje. 'Mislukt,' beseft Michiel. 'Het is nog herfst!' Hij kijkt op de wekker. Die staat op 12.17 uur. Maar dat kan Michiel ook zo wel voelen: honger!

Door de kieren van de kamerdeur komt de lucht van gebakken spek. Mmm! 'Zouden beren ook van spek houden?' vraagt Michiel zich af en schuift het gordijn achter zijn bed opzij. Met een wortel schept hij flinke likken uit het potje heidehoning. De honger zakt. Nu krijgt hij dorst. Zo stil als hij kan sluipt Michiel uit bed en haalt in de badkamer een kan water. Snel duikt hij zijn bed weer in. Verder slapen.

Michiels linkerzij ligt lang niet meer zo lekker als eerst en het optrekken van zijn benen doet zelfs een beetje pijn. Michiel knijpt zijn ogen stijf dicht. Was het maar donkerder in zijn kamer. Het móet lukken.

'Slaap ik al?' vraagt Michiel zich na een half uur af. Hij knijpt zich in zijn arm. 'Au!' Nee, nog niet.

Met de dekens over zijn hoofd doezelt Michiel uiteindelijk in. Wanneer hij wakker wordt is het 14.52 uur. Toch mooi twee uur geslapen. Hoeveel uren zitten er in een herfstvakantie?

Na een middag en een avond woelen geeft Michiel het op. Hij had nooit geweten dat slapen zo moeilijk kan zijn. Wanneer hij beneden komt, zit zijn moeder televisie te kijken. Pa is er niet. Gelukkig stelt ma geen vervelende vragen. Ze vraagt zelfs niet of hij iets wil eten. In plaats daarvan gaat ze zonder iets te zeggen naar de keuken en maakt iets lekkers klaar.

'Hier,' zegt ze, 'eet maar lekker op. Maar wel dooreten, hoor, het is bijna bedtijd.'

Michiel kijkt zijn moeder opeens heel nijdig aan. Moeder lacht vriendelijk terug.

Een bijzonder dier

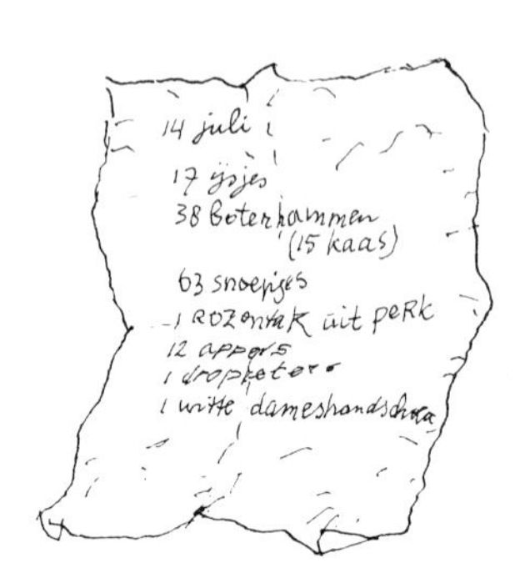

Een woensdag eerder dan hij van plan was, stapt Michiel weer uit de tram voor de ingang van de dierentuin. Ditmaal staat er een rij voor de kassa; dat heb je in de herfstvakantie.

Wanneer hij aan de beurt is, legt Michiel geen geld neer, maar zegt vastberaden: 'Ik kom voor oom Koos.'

'Voor wie?' De man van het loket kijkt nors op.

'Voor oom Koos,' herhaalt Michiel, minder zeker nu.

'Hoe heet je dan?'

'Michiel, meneer.'

'Michiel? Mmm. Ja, dat is goed, dat heeft oom Koos gezegd. Loop maar door.'

Michiel kent de weg. Binnen tien minuten is hij bij de beren. Oom Koos zet zijn kruiwagen neer.

'Hé, maatje, alles goed?' roept hij naar Michiel en troont hem mee. Tussen de rozenperkjes langs de berenburcht loopt een paadje naar een

verveloze deur. Die deur was Michiel vorige keer helemaal niet opgevallen. 'VERBODEN TOEGANG VOOR ONBEVOEGDEN' staat erop.

'Kijk,' zegt oom Koos en wijst op het bordje, 'toegang voor bevoegden. Dat zijn wij. Kom maar binnen.'

Via een grauw gangetje komen de twee in een kamer. 'Wat een troep is het hier,' denkt Michiel, 'maar gezellig is het wel.' Er slingeren dozen en formulieren, een oude typemachine staat op zijn achterste, uit de radio komt Hilversum 3.

'Wil je ook een bakkie thee?' vraagt oom Koos, terwijl hij, zonder een antwoord af te wachten, twee kopjes inschenkt uit een thermoskan.

'Dank u wel.' Michiel zit nog wat ongemakkelijk op een houten stoel. Omdat er geen tafel in de buurt is, zet hij het kopje op een stapel kistjes.

'Een koekje erbij?' Aan de grijns van oom Koos had Michiel kunnen zien dat er iets aan de hand is. Pas wanneer hij het koekje bijna in zijn mond heeft, merkt hij het. Wat stinkt dat!

Oom Koos schatert. 'Nu weet je meteen waarom je neus vlak boven je mond zit. Geef maar terug, dan krijg je een echt koekje. Dit is er een voor de beren.'

'Arme beren!' Voor het eerst is Michiel blij dat hij geen beer is. 'Het lijken wel hondebrokken.'

'Zoiets, ja,' zegt oom Koos. 'Er zit alles in wat beren nodig hebben.'

'Krijgen ze dan alleen brokken?'

'Nee hoor. Ik geef ze ook verse groente, appels, ander fruit en af en toe een vis of een stukje vlees.'

'En honing?' wil Michiel weten.

'Nee, dat is er niet bij.'

Daar kijkt Michiel van op. 'Houden beren niet van honing?'

'Dat zou ik niet weten hoor. Van mij krijgen ze alleen wat er op mijn lijstje staat en daar is honing niet bij. Maar misschien krijgen ze wel eens wat van de bezoekers. Ik heb eens een hele dag opgeschreven wat de mensen de beren geven. Wacht even...' Oom Koos vist een papiertje uit de rommel om hem heen. 'Hier heb ik het: "Door het publiek gegeven op 14 juli: 17 ijsjes; 38 boterhammen, waarvan 15 met kaas; 63 snoepjes; een rozetak uit het perk; 12 appels; 1 dropveter en 1 witte dameshandschoen."'

Oom Koos is even stil. Dan zegt hij: 'Over dames gesproken, hoe is het met je moeder?'

'Goed,' wil Michiel zeggen, maar oom Koos geeft hem daar de tijd niet voor. Hij praat door: 'Ik was vroeger erg dol op haar. Een fantastische vrouw; maar dat vond je vader ook. Hém vond ze aardiger. Dat was een hele klap. Het valt niet mee iemand te verliezen... Maar ach, wat zeur ik, voor zoiets ben je nog veel te jong. Ik moest er alleen even aan denken, je lijkt ook zo op je moeder.'

Michiel weet niet wat hij moet zeggen. Hij wacht tot oom Koos het woord weer neemt.

'Behalve wat dierentuinen betreft, dan. Daar wou ze nooit heen. Net een gevangenis, vond ze. "Cipiertje" noemde ze me. Haha, Cipiertje! Vind jij het hier soms ook net een gevangenis?'

'Een beetje,' zegt Michiel. 'Soms.'

'Jij hebt vast nooit in de nor gezeten.' Oom Koos staat op. 'Kom maar eens mee.'

Via de dienstgang komen de twee bij een grote stenen poort.

'Ga maar,' dringt oom Koos aan. Michiel gaat. Dan hoort hij achter zich een luid geratel en een klap. Verschrikt kijkt hij om. Nog net ziet hij hoe een valhek in de stenen poort achter hem de grond raakt. Hij zit gevangen! Oom Koos lacht. Maar ook aan de andere kant hoort Michiel gelach. Het zijn bezoekers in de tuin, die elkaar aanstoten en wijzen naar Michiel in de kooi. Want daar zit hij: in de berenkooi. Zo ziet de wereld er dus uit voor een beer in Nederland. Michiel wil eruit. Maar daarvoor wordt al gezorgd. Het geratel begint weer en het valhek gaat knersend omhoog. Michiel loopt er snel onderdoor. Hij ziet oom Koos de laatste slagen maken met een grote slinger.

'Zo,' zegt hij, 'nu weet je meteen hoe dat hek werkt,' en zet de slinger vast met een grendel. 'Heb ik je erg laten schrikken?'

'Nee hoor,' zegt Michiel, wat wit om zijn neus.

'Mooi zo. Je weet nu hoe het is een beer te zijn. Wil je ook weten hoe het is een oppasser te zijn?'

'Nou!' Michiel straalt.

'Kom op dan.'

Zo begint Michiel als hulp-oppasser. Van oom Koos krijgt hij een oude overall, die wel te groot is, maar goed van pas komt bij het klaarmaken van het eten en het schoonspuiten van de hokken. Wanneer hij maar tijd heeft helpt hij oom Koos. Die leert hem de beren kennen: Ursus, dat is de grootste, en Kobus, het tweede mannetje, en het vrouwtje Klara. Michiel geniet er met volle teugen van. Aan meneer Beer denkt hij steeds minder.

Des te banger is hij dat hij straks ook Ursus, Kobus en Klara zal moeten missen. Daarom brandt een vraag hem op de lippen.

'Oom Koos...,' begint hij op een middag.

'Ja?'

'Hoe lang blijft u de beren nog verzorgen?'

Oom Koos kijkt Michiel verbaasd aan en leunt op zijn bezem. 'Nog een jaar of tien, hoop ik.'

'Nee, dat bedoel ik niet. Ik bedoel van de winter.'

Oom Koos fronst zijn wenkbrauwen en schuift zijn pet naar achteren. 'Hoezo?'

'Nou, wanneer ze gaan slapen. Wanneer gaan ze in winterslaap?'

'Winterslaap? Hier? In de dierentuin? Nee hoor, daar beginnen ze niet aan. Dat doen beren alleen in het wild, in koude streken. En zelfs daar slapen ze niet de hele tijd. Nee, winterslapen hoeft een beer in een hok in een Hollandse winter niet.'

'O,' zegt Michiel en bloost.

Nooit eerder klonk er zoveel opluchting, verbazing en teleurstelling tegelijk uit één zo'n kort 'o'.

De beer is los

De dierentuin zingt, knort en fluit. Het is prille lente. Al geeft de zon al warmte, Michiel loopt nog in zijn berejas. In zijn tas zitten brood en honing. Zo is hij de hele winter door een paar middagen per week komen helpen, vaak meteen uit school.

'Die jongen verbeert helemaal,' heeft een van de café-klanten al eens gezegd, maar zijn ouders zitten er niet zo mee.

'Ach, zolang hij nog niet in de bomen klimt,' zegt zijn moeder. 'En hij is goed op school,' vult zijn vader dan aan.

Voordat hij oom Koos opzoekt, loopt Michiel altijd even naar het terrein tussen de pinguïns en de zeeleeuwen. Het is er druk vandaag. Mannen met grote handen en hamers slopen een schutting. Daarachter zijn schilders in de weer. Het nieuwe berenverblijf is bijna klaar. Het ziet er fris uit: wit en grijs, met een felrode railing. Tralies zijn nergens te bekennen.

Wanneer Michiel de oude berenburcht binnenkomt, is oom Koos de kettingen en grendels aan het smeren. Hij ziet eruit als de stoker op een stoomlocomotief, zo onder het vet en zweet.

'Hallo, oom Koos! Wat doet u nou? Smeren? Dat hoeft toch niet meer?'

'Nee?' Oom Koos kijkt mat op van zijn werk. Anders is hij altijd vrolijk, nu staat zijn gezicht vlak.

'Nee, natuurlijk niet!' ratelt Michiel door. 'Overmorgen verhuizen de beren toch naar het nieuwe verblijf. Dit hier wordt afgebroken!'

'Dan wordt het afgebroken met goed gesmeerd ijzerwerk,' bromt oom Koos, zonder een sprankje lente in zijn stem. 'Ik smeer ze al zeventien jaar elke dinsdagmiddag en dat doe ik dus deze dinsdagmiddag ook.'

'Wat is er met u?' Michiel merkt nu pas hoe chagrijnig oom Koos is. 'U vindt het toch ook fijn dat de beren een nieuw hok krijgen?'

'Wat?' Oom Koos kijkt verwilderd op, alsof hij er met zijn gedachten niet bij is. 'Mm, ja natuurlijk, dat zal wel.'

'Het is toch veel beter voor de beren?' dringt Michiel aan.

'Voor de beren? Laten we het hopen. Voor de mensen wel, in ieder geval. Je moet nog veel leren, Michiel. Dierentuinen worden niet gebouwd voor beren, maar voor mensen. Weet je waarom dat nieuwe verblijf geen tralies heeft? Voor de beren? Pff, die kan het niks schelen. Aan die tralies kunnen ze zich juist lekker vasthouden. Die tralies moeten weg voor de mensen. Omdat ze mensen aan gevangenissen doen denken. Beren hebben daar geen last van; beren kennen geen gevangenissen.'

'Maar...'

'...en als ze nu deze burcht maar zouden laten staan! Ze breken het Paleis op de Dam toch ook niet af omdat ze in Amsterdam een nieuw stadhuis hebben? Dat het hier niet goed genoeg is voor de beren, alla, het zal wel; voor mij is het hier goed genoeg. Voor mijn part zetten ze hier teddyberen in, als de burcht maar blijft. Dan word ik teddyberen-oppasser.'

Michiel kijkt oom Koos een beetje angstig aan. Zo kent hij hem niet. Hij gaat maar wat groente snijden voor de beren. In het kamertje ernaast hoort hij oom Koos doorfoeteren.

'Overmorgen, wanneer de verhuizing achter de rug is, dan trekt hij wel bij,' denkt Michiel.

De dag van de verhuizing is aangebroken. Michiel heeft vrij gevraagd van school, want de verhuizing moest 's morgens gebeuren, op een doordeweekse dag wanneer er weinig bezoekers zijn. Een beetje opgewonden gaat Michiel oom Koos ophalen. Maar die zit niet op zijn vaste plek. In plaats daarvan is de directeur er, met twee jonge oppassers die Michiel niet kent.

'Heeft u oom Koos gezien?' vraagt Michiel.

Een van de jonge oppassers haalt een peuk uit zijn mond en kijkt Michiel half aan.

'Wie ben jij?'

'Ik ben Michiel en ik help hier al de hele winter en ik zou er vandaag bij mogen zijn, had oom Koos gezegd. Waar is hij?'

'Koos heeft zich ziek gemeld,' weet de oppasser.

'Wat heeft hij dan?' wil Michiel weten.

'Dat weet ik niet hoor.' De oppasser draait zich verveeld af. 'Daarvoor moet je bij de personeelschef zijn.'

Daarmee komt Michiel niet verder. Maar voor hij door kan vragen wordt hij weggeduwd. 'Ga even uit de weg, wil je,' vraagt de directeur.

'Verdorie,' denkt Michiel, 'dat oom Koos nu net vandaag ziek moest worden! Of zou hij niet echt ziek zijn?'

Beren verhuizen is een heel werk. Eén voor één moeten ze uit hun oude burcht in een kist naar het nieuwe berenhuis worden gereden. Geweren of injectienaalden komen er niet aan te pas; het enige wapen van de oppassers is hun bezem. Hiermee porren ze door de tralies heen naar de beren. Maar de twee invallers zijn lang zo handig niet als oom Koos. Het duurt wel een uur voor Kobus eindelijk in de kist zit en wordt afgevoerd.

Klara is zo mogelijk nog nukkiger. Hoe de oppassers ook hun best doen, ze weigert de kist in te gaan. Op een gegeven moment is een van de twee het zat.

'Laat dit kreng maar even zitten, Theo,' zegt hij tegen zijn maat, 'dan nemen we eerst Ursus.'

'Oké, Bert,' zegt Theo, die er ook genoeg van heeft.

Theo loopt naar het hok van Ursus en haalt net de grendel van de deur om er de kist voor te kunnen zetten, als hij een schreeuw hoort: 'Hé, kijk uit!' Dan ziet hij Klara op zich afkomen, met opgeheven klauw. Zonder zich te bedenken geeft hij het beest een enorme mep met zijn bezem en maakt zich uit de voeten.

'Dierenbeul!' roept Michiel spontaan, 'je mag niet slaan!'

'Bemoei je er niet mee,' snauwt Bert hem toe. Op een of andere manier schijnt de mep echter indruk te hebben gemaakt. Alsof ze er genoeg van heeft is Klara in de kist gekropen. Snel slaan Theo en Bert de klep dicht en gaan ze met hun buit op weg naar de nieuwbouw. Michiel volgt op grote afstand. Met die stuntels wil hij niets te maken hebben.

Opeens hoort Michiel een raar geluid achter zich: is het geschuifel, gesnuif, geritsel of verbeelding? Met een ruk draait hij zich om. Daar staat Ursus, rechtop, in volle omvang.

'De beer is los!' snerpt een mevrouw die het ook heeft gezien en ze rent er vandoor, haar tas achterlatend.

Op haar alarmroep komen Theo, Bert en de directeur aangesneld. De directeur gaat wijdbeens staan, trekt zijn revolver en mikt met twee gestrekte armen, zoals je dat in politiefilms op de televisie ziet, op Ursus.

'Nee! Niet doen!' gilt Michiel.

'Proberen jullie Ursus in zijn hok te krijgen, mannen. Ik dek jullie met het pistool voor als er iets fout gaat,' beveelt de directeur.

Theo en Bert gaan met hun bezem op Ursus af, maar deinzen meteen weer terug wanneer deze zijn tanden laat zien en grauwend op hen af waggelt. De directeur knijpt zijn ogen tot spleetjes en mikt precies tussen de ogen van Ursus. Schieten is echter niet mogelijk: Michiel loopt in de vuurbaan.

'Opzij jij, gauw, opzij!' roept de directeur.

Michiel blijft staan. Ursus laat zich op vier poten zakken. Iets kalmer nu, maar nog steeds grommend, komt hij op Michiel af. Deze heeft een bezemsteel gegrepen.

'Je houdt hem verkeerd om!' roept Bert, maar Michiel weet beter. Terwijl hij Ursus goed in de gaten houdt, haalt hij een potje uit zijn tas en doopt de bezemsteel erin. Dan houdt hij Ursus de steel voor. Eerst slaat Ursus ernaar, dan begint hij te snuffelen. Even lijkt het of hij de stok met zijn tanden wil verbrijzelen, dan likt hij eraan, als een kind aan een lollie.

'Bezem!' commandeert Michiel Theo. Het klinkt zo vastberaden dat Theo hem zijn bezem toesteekt. Aan de top van de steel smeert Michiel weer wat honing. Voor hij hem Ursus toesteekt, loopt hij echter eerst een eind in de richting van de burcht. Ursus volgt hem.

Zo, bezem voor bezem, komen ze bij het hek aan waarvan Theo de grendel had laten openstaan. Nog tien meter. Met zijn ogen nog steeds onafgebroken op Ursus gericht doopt Michiel voor het laatst de steel in de pot. Leeg! Michiel kijkt verschrikt. Er zit werkelijk geen lik meer in. Even staat Michiel stokstijf. Ursus, boos dat er geen nieuwe lollie aankomt, waggelt op Michiel af. De directeur knijpt zijn ogen weer tot spleetjes. Bert wendt zijn hoofd af.

Met één zwaai gooit Michiel de bezem en het lege potje weg. Het hok in.

Even aarzelt Ursus, dan springt hij er achteraan.

Snel gooit Michiel de deur dicht. Met een zucht van verlichting hoort hij de grendel vallen.

De directeur zucht net zo. Terwijl hij het zweet van zijn voorhoofd wist, steekt hij zijn hand uit naar Michiel.

'Wat zat er in dat potje?' vraagt hij.

'Honing,' zegt Michiel, nog hijgend van spanning.

'Hoe wist je dat Ursus daar zo dol op is?' vraagt de directeur door.

'Alle beren houden toch van honing?' zegt Michiel en lacht. 'Jammer dat hij op is.'

Kiezen of delen

'JONGEN REDT BEER' staat boven het kranteknipsel op het prikbord in het nieuwe berenverblijf. Het vergeelt al een beetje, maar Michiel leest het nog graag. Van zinsneden zoals 'koelbloedig optreden' en 'waar directie faalde, slaagde jongen van tien' kan hij geen genoeg krijgen. Ook het 'uit zijn optreden spreekt een grote liefde voor beren' kan hij feilloos in het artikel terugvinden.

'Zo, ben je jezelf weer eens aan het kietelen?' klinkt het vlak achter hem. Verschrikt kijkt Michiel van het knipsel op. Betrapt! Hij krijgt een hoofd als een boei.

'Ah, blozen kun je nog! Dat is maar goed ook. Anders had ik je al lang tussen de andere beren in het hok gestopt. Beren blozen niet.'

Michiels hoofd wordt er alleen maar roder van. Hij voelt zich een stuk minder heldhaftig dan daarnet, onder het lezen.

'Kom, laat dat knipsel maar vergelen; er is werk aan de winkel.'

Samen lopen oom Koos en Michiel de werkruimte van het nieuwe berenhuis in. Die ziet er wel even anders uit dan die in de oude berenburcht.

Het is hier ruim en licht, met veel roestvrij staal en tegels. Hendels en tandwielen zijn nauwelijks te bekennen; in plaats daarvan worden hekken, verlichting en verwarming bediend vanaf een soort dashboard, vol glimmende knoppen en vrolijke lampjes. Op de twee beeldschermen boven al die knoppen kun je met behulp van televisiecamera's zien wat er in de nachthokken gebeurt; het terras kun je door een dikke, glazen ruit in de gaten houden. Superdeluxe. Des te opvallender is het oude, houten bureau waaraan oom Koos werkt, op zijn vertrouwde gammele stoel. Van iets nieuws wil hij niet horen. 'Een oude man hoort in een oude stoel,' mompelt hij als iemand er iets van zegt.

'Nemen jullie het vanmiddag van me over?' vraagt oom Koos aan Michiel en aan Theo, die net binnenkomt. 'Ik moet weer eens naar de dokter. Het blijft maar sukkelen met me sinds de verhuizing. Beren wennen sneller dan mensen, geloof ik. Als jij hier het voer klaarmaakt, Michiel, kan Theo het terras schoonspuiten. Weten jullie hoe de valhekken werken? Met de groene knop open en met de rode dicht. Van die oranje knop moet je afblijven, die is alleen voor noodgevallen, daarmee komt het hek in één klap neer.'

'Ja, oom Koos,' zeggen Theo en Michiel tegelijk.

'Hoe is het trouwens met de dieren, Theo?' vraagt oom Koos.

'Alles normaal,' antwoordt die, 'alleen zitten ze weer vreselijk te bedelen.'

'Och, dat houdt ze bezig,' meent oom Koos.

'Maar ze hebben toch genoeg te doen?' zegt Michiel.

'Nee, niet de beren,' zegt oom Koos, 'de mensen. Maar kom, het is tijd. Jullie redden het wel. Tot morgen.'

Zodra hij de beren in de nachthokken heeft opgesloten, begint Theo het terras schoon te spuiten. Michiel blijft binnen; zo heeft hij zo weinig mogelijk met Theo te maken. Onder het eten-snijden en bakken-spoelen door houdt hij de dieren via de beeldschermen in de gaten. Na een uurtje komt Theo terug.

Michiel kijkt op van zijn werk. 'Ben je nou al klaar?'

'Ik wel,' antwoordt Theo. 'Het is schoon zat voor die beesten. In het bos is er ook niemand die alles voor ze schoonspuit. Druk maar op de knoppen van de hekken, dan kunnen ze weer buiten spelen.'

Michiel wil iets zeggen, maar houdt zijn opmerkingen toch maar voor zich. Met een druk op de knop laat hij de valhekken van de nachthokken omhoog schuiven. Net wanneer hij zijn vingers van de knoppen loslaat schiet Theo overeind.

'O, wacht even, ik heb mijn bezem laten liggen!' roept hij en stuift naar buiten.

'Hé, dat kan niet meer...' roept Michiel hem na. Maar het is al te laat, Theo hoort hem niet meer. Ongerust kijkt Michiel op de beeldschermen. Ursus en Kobus liggen nog binnen; snel laat Michiel hun hekken weer zakken. Klara daarentegen is al het terras op. Michiel kijkt uit het venster. Daar gaat Theo, zich van geen gevaar bewust, met dat stoere loopje van hem dat Michiel zo haat. Een terras lager stapt Klara op vier poten, langzaam, maar schijnbaar doelbewust, op Theo af. Haar klauwen tikken op het beton, maar Theo lijkt het niet te horen. Even draait Klara haar reusachtige kop opzij, zodat Michiel haar gezicht goed kan zien. Het is moeilijk uit het onveranderlijke gezicht van een beer op te maken hoe hij zich voelt, maar Michiel heeft er kijk op gekregen. De blik van Klara beangstigt hem.

'Kijk uit!' schreeuwt hij. Maar het dikke glas houdt zijn kreet tegen. Het gevaar is er, maar niemand behalve Michiel heeft het door. Enkele bezoekers hangen loom over de railing van het berenterras. Die oppasser zal, denken ze, wel weten wat hij doet. Maar dat weet hij niet.

Pas wanneer hij zich bukt om de bezem op te pakken ziet Theo dat hij niet alleen is op het terras. Het verontrust hem niet eens. Met de zelfverzekerdheid van de dommen weert hij de beer met zijn bezem af. Dat werkt altijd. Behalve nu dan. In één haal slaat Klara de bezemsteel doormidden. Het is alsof ze haar woede eerst wil luchten op de steel die haar een paar weken geleden zo hard heeft geraakt. Met haar forse tanden knauwt ze hem in drieën. Dat geeft Theo de kans er tussenuit te knijpen. Aan zijn krijtwitte gezicht ziet het publiek eindelijk dat zich een drama afspeelt. Het houdt de adem in. Dit is geen dierentuin, dit is circus. Maar dan menens.

Nu ontdekt Theo pas goed hoe doeltreffend het nieuwe berenverblijf is ontworpen. Al is er geen tralie te bekennen, ontsnappen is onmogelijk. De gracht is te breed, de balustrade te hoog, het publiek te machteloos. Er is maar één uitweg; of is het een val? Tijd om daarover na te denken is er niet. Zo snel hij kan sprint Theo naar het lege nachthok met de uitnodigende open deur. Klara zit hem op de hielen. Uit een van de boeken die hij heeft gelezen flitst één zin door Theo heen: 'Beren kunnen goed lopen; in de achtervolging zijn ze sneller dan een mens.' Dat moet een goed boek zijn geweest: met elke stap loopt Klara in op Theo. Alleen in het klauteren over de namaak-rotsblokken is Theo iets beter.

Michiel volgt de bizarre wedstrijd tussen mens en beer op de beeldschermen. Veel kans geeft hij Theo niet. Maar hij heeft het er, vindt Michiel, zelf naar gemaakt.

Theo en Klara zijn nu vlak bij de ingang van het nachthok. Zelden zijn de bedoelingen van twee wezens zo duidelijk geweest. Het ene wezen wil slechts ontkomen, het andere wil slechts vermorzelen. Er is maar één mens die dat laatste zou kunnen voorkomen: Michiel. Met zijn ogen strak op het beeldscherm zweeft zijn rechter wijsvinger boven de oranje knop. Als het hem lukt het hek tussen de twee in te laten vallen, is er niets aan de hand.

Maar Klara is te snel. Net wanneer Michiel het hek achter Theo's hielen wil laten vallen, komt Klara er al met een poot onderdoor. Als Michiel nu het hek laat vallen krijgt ze het gevaarte van vele honderden kilo's op haar lijf. Laat hij het hek niet zakken, dan is Theo er geweest. Klara, de brave beer of Theo, de dierenbeul?

Met een daverende klap suist het valhek omlaag. De keus is gemaakt. Was het Michiel die de beslissing nam of was het alleen zijn vinger? Met zijn hoofd omlaag, de ogen dicht, hoort Michiel ondanks het dikke glas van buitenaf de kreten van ontzetting. Dan doet hij zijn ogen open. Op het beeldscherm ziet hij de uitslag van het drama. Het hek is voor viervijfde omlaag. Daaronder ligt, als een vloerkleed uitgestrekt, de poten naar vier kanten, een beer. Uit haar bek sijpelt bloed.

Lang kan Michiel zo niet hebben gezeten. Opeens komen van alle kanten mensen aangesneld: oppassers, de dierenarts, de directeur, zelfs de brandweer is opgetrommeld. Theo wordt afgevoerd per ziekenwagen; zonder schrammetje, maar met een zware shock.

Dan is oom Koos er. Ontdaan stapt hij op Michiel af en legt een arm om hem heen. 'Gaat-ie, maatje?'

Met een betraand gezicht kijkt Michiel naar hem op. 'Arme Klara,' snottert hij. 'Ik heb een beer gedood.'

'Nee,' zegt oom Koos, 'je hebt een mens gered.'

Beer

De zomer is voorbij. Er staat een gure wind. Des te aangenamer is het in café De Druif. Ondanks het vroege middaguur zit er al wat volk aan de bar, zich warmend aan de kachel en aan elkaars gezelschap. De vader van Michiel knikt geroutineerd ja en nee op het ritme van de verhalen. Als hij eens ja knikt wanneer het nee moet zijn, of andersom, is er niemand die er erg in heeft. Het is, kortom, gezellig.

De nieuwe man die binnenkomt wordt door de reeds aanwezigen even bekeken, maar ze kennen hem niet. De vader van Michiel kijkt nauwelijks op als hij vraagt wat het mag wezen.

'Een citroenbrandewijntje met suiker.'

Nu kijkt de vader van Michiel de man eens nauwlettender aan. 'Een citroenbrandewijntje met suiker? Dat is me lang niet meer gevraagd! U bent toch niet...'

Dan ontspant zijn gezicht tot een grijns. 'Koos! Wat goed je weer eens te zien! Wat voert jou hierheen? Ik dacht dat je van de drank af was!'

'Dat ben ik ook,' lacht de ander, nog steeds met de hand van de kastelein

rondom de zijne. 'Maar voor deze gelegenheid lust ik er nog wel eentje. Ik kwam eens kijken naar je zoon Michiel.'

'Dat zal hij leuk vinden. Hij heeft het vaak over je, Koos, en over de dierentuin.'

'Ja, dat zal wel. Maar nu moet ik jóu om zijn verhalen vragen. Ik zie hem haast nooit meer in de dierentuin. Hij is nu al drie weken niet geweest. Er is toch niets gebeurd?'

'Nee hoor,' stelt pa hem gerust, 'ik zal hem even halen.' 'Irene,' roept hij naar achteren, 'neem je even het buffet over?'

Terwijl pa door de deur 'PRIVÉ' verdwijnt, komt Michiels moeder achter de bar. Ze heeft aan één blik genoeg.

'Koos! Wat leuk je te zien! Hoe is het met je?'

'Heeft Michiel je dat niet verteld?'

'Jawel. Maar niet wat ik wilde weten. Mag ik dat vragen?'

'Ja, natuurlijk.'

Ma kijkt oom Koos aan met die zachte en tegelijk zo indringende ogen waarop hij vroeger al zo viel. 'Ben je gelukkig?' vraagt ze plompverloren.

'Gaat wel,' zegt oom Koos. 'En jij?'

'Ik heb het goed.' Verder zwijgen ze, tot enkele minuten later pa beneden komt met Michiel.

'Hoi, oom Koos!' roept Michiel blij verrast, 'wat komt u hier doen?'

'Zoals je ziet, een borreltje drinken. En eens kijken hoe het met jou is. Je ziet er goed uit. En je hebt een nieuwe jas aan. Wat is er met je ouwe gebeurd, met die dikke bruine?'

'Weggedaan,' zegt Michiel zo onverschillig mogelijk. 'Veel te warm. Maar hoe is het met Klara?'

'Kom maar eens kijken in de dierentuin. Die loopt nog half in het gips, maar de dierenarts zegt dat het helemaal goedkomt. Ze heeft geluk gehad. Je komt toch nog wel eens?'

'Ja natuurlijk,' zegt Michiel, 'maar mag ik dan mijn hond meenemen?'

'Je hond? Ik wist niet...'

'Ik heb hem pas drie weken.'

''t Is jammer,' zegt oom Koos, 'maar honden mag je in de dierentuin niet meenemen, dat weet je.'

Achter de deur 'PRIVÉ' klinkt gestommel; even later wordt er aan de deur gekrabd.

'Daar is-ie, denk ik,' zegt Michiels moeder. 'Ik zou hem maar even uitlaten als ik jou was.'

Michiel doet de deur open en uit het trapgat komt een wollige hond stormen. Met een halve cirkel komt hij op Michiel af, die hem tussen al het likken en kwispelen door toch nog hier en daar weet te aaien.

'Het lijkt wel een verliefd stel,' zegt een van de klanten. Michiel slaat er geen acht op.

'Zie ik je morgen in de dierentuin?' vraagt oom Koos.

'Ja, dat is goed,' zegt Michiel afwezig. Oom Koos begrijpt dat hij alleen nog via de hond tot Michiel kan doordringen.

'Hoe heet hij?' is de meest voor de hand liggende vraag.

'Beer,' antwoordt Michiel. 'Kom Beer, ga je mee?' En met een eenvoudig 'Dag oom Koos, tot morgen' is hij de deur uit.

Door het raam kan oom Koos Michiel tot aan het eind van de straat zien rennen met zijn hond. Dan bestelt hij nog een citroenbrandewijntje. Met suiker.